Seo agat beacha

A bhuí leis na beacha as an bpailniú a dhéanann siad faightear torthaí agus síolta ó fhormhór na mbláthanna. Agus tugann siad céir agus mil dúinn freisin!

'Bzzz, bzzz, bzzz...'

'Féach! Céard atá ar an mbláth sin? Beach atá ann!'
Móra daoibh, a chailíní is a bhuachaillí! Ná bíodh faitíos oraibh, ní ghortóidh mé sibh. Inseoidh mé daoibh gach rud is mian libh a fháil amach fúinn. Ar mhaith libh é sin? Éistigí go cúramach.
Feithidí is ea beacha, feithidí a bhfuil sé chos orthu. Tá dhá aintéine ar ár gcloigne a úsáidimid chun bolú, dhá shúil mhóra, teanga fhada agus ceithre sciathán – dhá cheann mhóra chun tosaigh agus dhá cheann bheaga chun deiridh. Tig linn ár sciatháin a bhogadh níos scioptha ná éan agus tig linn stopadh i lár eitilte.

Ár gcairde na bláthanna

Ní bheimisne beacha beo murach na bláthanna. Bailímid pailin uathu i gciseáin speisialta a iompraímid ar ár gcosa deiridh. Is éard is pailin ann an deannach buí a dhéanann na bláthanna agus a shéidtear san aer le cabhair na gaoithe agus ainmhithe. Chomh maith leis an bpailin, tugann na bláthanna neachtar dúinn freisin. Deoch an-mhilis an-bhlasta is ea neachtar. Gabhaimid buíochas leis na bláthanna as an neachtar trína gcuid pailine a iompar soir siar. Is mar sin a chabhraímid leis na bláthanna torthaí agus síolta a thabhairt. Súimid an neachtar amach lenár dteanga fhada agus iompraímid ar ais é inár mála neachtair chuig an gcoirceog.

Mil agus Pailin

Is í an phailin an bia is fearr linn, go háirithe nuair a bhímid inár naíonáin.
Nuair a éirímid níos sine, is fearr linn mil mar tugann sé a lán fuinnimh dúinn.
Nuair a fhilleann na cnuasaitheoirí chuig an gcoirceog lena n-ualach pailine agus neachtair, tugann siad an t-iomlán do na beacha oibre. Coimeádaimid fuílleach na pailine i gcealla stórais chun go mbeidh bia againn sa gheimhreadh. Nuair a bhíonn an mhil réidh, tógaimid amach é lenár mbéal agus stórálaimid é i gcealla speisialta i gcomhair an gheimhridh.

Cá gcónaímid?

Déanaimid seomraí beaga: cealla a thugaimid orthu. Chun é sin a dhéanamh bíonn orainn céir a chogaint. Beacha óga amháin a dhéanann céir. As ár mbolg a thagann sé, atá i gcúl ár gcoirp. Sé thaobh a bhíonn ar gach cill. Is é atá sa chíor mheala ná mórchuid ceall le chéile. Stórálaimid mil i gcealla áirithe agus pailin i gcealla eile. Nuair a bhíonn na cealla lán, cuirimid séala orthu le céir. Sa tslí sin, bíonn dóthain bia againn dár dteaghlach mór uile.

Teaghlach an-mhór

Cónaíonn trí chineál éagsúla beach sa choirceog. Is í an chráinbheach máthair an áil, agus bíonn cráinbheach amháin ag gach coirceog. Tá a lán beach oibre ann, ar mo nós féin, agus is sinne a dhéanann an obair tí uile sa choirceog. Agus tá na ladrainn ann. Níl siad líonmhar, agus níl a fhios acu conas mil nó céir a dhéanamh. Níl a fhios acu fiú conas ithe gan cabhair uainne!

Cealla agus Naíonraí

Chomh maith leis na cealla ina stórálaimid an mhil agus an phailin, déanaimid cealla speisialta naíonra freisin. Úsáidimid iad dár ndeirfiúracha beaga. Caitheann ár máthair, an chráinbheach, an lá uile ag breith dhá chineál éagsúla uibheacha iontu: sna cealla beaga, beireann sí uibheacha óna bhfásfaidh na beacha oibre agus sna cealla móra beireann sí uibheacha óna bhfásfaidh na ladrainn.

Athrú dochreidte

Tar éis trí lá, tagann cruimh bheag nó larbha as gach ubh. Ar feadh trí lá tugaimid bia speisialta a dhéanaimid féin dóibh: glóthach ríoga. Ansin tugaimid meascán saibhir de mhil is de phailin dóibh. Neam neam! Tá uisce le mo bhéal agus mé ag cuimhneamh air! Faoin am a mbíonn na báibíní seachtain go leith d'aois, bíonn siad an-mhór. Ansin cuirimid séala ar na cealla le céir, mar ní bhíonn a thuilleadh bia ó na báibíní. Fad is atá siad istigh, tiontaíonn siad ina mbeacha, agus tagann siad amach tar éis lá is fiche. 'Fáilte romhaibh!' a deirimid leo agus iad ag fágáil na gceall.

Tascanna sa choirceog

Tá liosta fada de thascanna a bhíonn le déanamh againne, na beacha oibre, timpeall na coirceoige. Ar an gcéad dul síos, nuair a fhágaimid an naíonra, glanaimid í sa chaoi gur féidir í a úsáid arís. Nuair a bhímid óg, ní théimid amach agus tugaimid bia do na larbhaí, do na ladrainn agus don chráinbheach. Déanaimid cealla as an gcéir, stórálaimid pailin agus mil, agus coinnímid an choirceog fionnuar le bualadh ár gcuid sciathán. De réir mar a éirímid níos sine bíonn orainn tascanna eile a dhéanamh: cosnaímid an tslí isteach ar naimhde. Is é an tasc deireanach a bhíonn againn ná dul amach ag lorg bláthanna chun pailin agus neachtar a bhailiú uathu.

Damhsa na mbeach

Nuair a fhaighimid áit a mbíonn a lán bláthanna, bíonn orainn filleadh ar an gcoirceog chun an scéal a insint dár ndeirfiúracha, sa chaoi gur féidir leosan dul amach ag bailiú pailine agus neachtair. Nuair a thagann na beacha abhaile déanann siad rince ríméadach sa chaoi go dtuigfear iad go héasca. Má bhogann siad go scioptha i gciorcail, tuigfidh na deirfiúracha go bhfuil na bláthanna cóngarach don choirceog, agus go mbeidh sé éasca iad a aimsiú. Má bhíonn na bláthanna i bhfad uathu déanann siad damhsa i bhfoirm '8' agus tuigeann na cnuasaitheoirí go gcaithfidh siad dul píosa ó bhaile chun iad a aimsiú. Tá sé an-simplí, dáiríre!

Máthair na coirceoige

Ní bhíonn ach cráinbheach amháin i ngach coirceog. Is í siúd máthair na mbeach oibre agus na ladrann uile. Is mó an chráinbheach ná na beacha eile uile, mar nuair a bhí sise ina beach óg bhídeach ba é an t-aon chineál bia a tugadh di ná glóthach ríoga, agus tugadh aire di i gcill bhreá mhór. Ní fhágann an chráinbheach an choirceog in aon chor. Caitheann sí an lá uile ag breith uibheacha agus ag tabhairt aire do na beacha eile. Déanann sí é sin trí chumhrán speisialta a dhéanamh lena corp. Coinníonn sé sin na beacha socair sona.

Dhá chráinbheach?

Nuair a bhíonn an choirceog lán, bíonn sé in am againn áit chónaithe eile a chuardach dúinn féin. Is ansin a thugann na hoibrithe an ghlóthach ríoga do cheann de na larbhaí agus tagann cráinbheach nua ón gcill sin. Bailíonn an tsean-chráinbheach leath de na beacha oibre ina timpeall ansin agus eitlíonn siad amach as an gcoirceog ina scamall mór beach. Saithe beach a thugtar air sin. Nuair a fhaigheann an tsaithe áit oiriúnach, tosaíonn mo dheirfiúracha ag tógáil coirceog nua. Ádh mór orthu!

An teaghlach nua

Fanann an chráinbheach nua sa choirceog leis an gcuid eile againn, téann sí amach uair amháin ar an eitilt phósta. Ar an eitilt sin buaileann sí le scamall ladrann agus filleann sí ar an gcoirceog réidh le huibheacha a bhreith. A luaithe a bhíonn gnó an phósta déanta ag na ladrainn, fanann siad lasmuigh agus ní fhillfidh siad choíche ar an gcoirceog. Slán libh, a bhuachaillí!

Dainséar!

Gach lá nuair a fhágaimid an choirceog, deir ár máthair linn: 'Bígí cúramach!' Is iomaí dainséar a bhíonn roimh bheacha lasmuigh. Is aoibhinn le damháin alla áirithe sinn a ithe: cuireann siad iad féin i bhfolach mar bíonn an dath céanna orthu a bhíonn ar na bláthanna mórthimpeall orthu. Ionsaíonn foichí agus snáthaidí móra sinn freisin. Scanrúil! Uaireanta bíonn éin sa tóir orainn agus nuair a itheann béir cíor mheala ní miste leo má shlogann siad cuid againne ag an am céanna. Sin é an fáth a mbím i gcónaí an-chúramach nuair a fhágaim an choirceog!

Claíomh rúnda

An raibh a fhios agat go bhfuil gléas troda rúnda againne, beacha? Tá ga géar againn ar ár ndroim. Úsáidimid an ga seo, a bhfuil cuma claíomh beag air, chun instealladh nimhe a thabhairt. Bíonn sé ag teastáil chun sinn féin a chosaint ar ár naimhde. Nuair a ionsaíonn namhaid sinn, ní mór dúinn cealg a chur iontu lenár nga. Ach má bhíonn tú deas linn agus mura gcuireann tú isteach orainn ní chuirimid cealg ionat. Geallaimid é sin duit!

Mo chol ceathracha aonair

Ar chuala tú riamh faoi bheacha aonair? Is col ceathracha liom iad, agus is mó cineál díobh ann. Ní dhéanann siad coirceoga agus ní mhaireann siad nó ní oibríonn siad le chéile. Feicfidh tú iad aon uair a théann tú ag siúl faoin tuath nó i ngairdín bláthanna. Ár ndála féin, cabhraíonn siad leis na plandaí mar iompraíonn siad an phailin soir siar. Níl siad in ann céir nó mil a dhéanamh. Cónaíonn siad ina n-aonar i nead a dhéanann siad sa talamh nó i gcoill. De réir a chéile, líonann siad a nead le meascán de phailin is de neachtar a úsáideann siad chun a gcuid báibíní a chothú.

Tusa agus na beacha

Tá daoine agus beacha cairdiúil lena chéile leis na mílte bliain. Is maith libhse go mór an mhil a dhéanaimid. Is bia an-bhlasta, an-fholláin é. Na chéad daoine a bhailigh mil rinne siad é trí dheatach a shéideadh isteach i neadacha na mbeach nádúrtha. Chuir an deatach na beacha ina gcodladh, agus ghoid na daoine mil agus pailin ó na beacha. Ansin thosaigh siad ag déanamh na gcoirceog sa chaoi gur féidir linn mil agus céir a dhéanamh ar bhealach a chuireann ar chumas daoine iad a bhailiú go breá éasca.

Feicfidh mé go luath sibh, a bhuachaillí agus a chailíní! Táim ag eitilt liom anois chun pailin a bhailiú roimh thitim na hoíche.

Slán agaibh go fóill!

FÍRICÍ SPÉISIÚLA FAOI BHEACHA

Tá breis is 20,000 speiceas éagsúil beach ann, a bhformhór ina mbeacha aonair. Níl ach cúpla speiceas a mhaireann i gcomhluadar casta mar a dhéanann an bheach mheala.

Cónaíonn siad i dtimpeallachtaí éagsúla: ceantair theo, ceantair fhuara, ceantair fhásaigh... An t-aon rud atá riachtanach dóibh ná bláthanna.

Déanann na beacha meala a lán táirgí a thaitníonn le daoine le fada an lá: mil, céir, gliú beach agus pailin. Tá buanna leighis á lorg sa nimh a bhíonn sa gha.

Chun go bhfásfaidh torthaí agus síolta don fhómhar bíonn plandaí ag brath ar bheacha chun iad a phailniú. In áiteanna áirithe nach mbíonn líon mór beach aonair, bíonn beachairí fostaithe chun na plandaí a phailniú don fhómhar in ionad mil a dhéanamh.

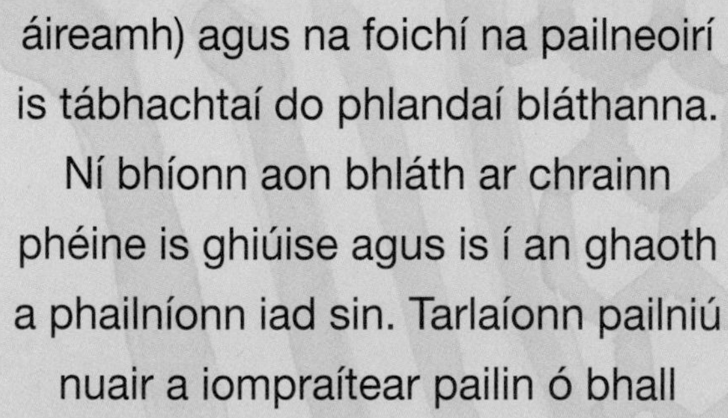

Is iad na beacha (beacha aonair san áireamh) agus na foichí na pailneoirí is tábhachtaí do phlandaí bláthanna. Ní bhíonn aon bhláth ar chrainn phéine is ghiúise agus is í an ghaoth a phailníonn iad sin. Tarlaíonn pailniú nuair a iompraítear pailin ó bhall fireann an bhlátha go dtí an ball baineann. Gan phailniú, ní fhásfadh na bláthanna ina dtorthaí nó ina síolta, agus d'imeodh na plandaí bláthanna in éag.

Is iad seo a leanas cuid de na bianna a bhraitheann ar phailniú: Piorraí, úlla, almóinní, sútha talún, silíní, péitseoga, abhacáid, alfalfa, oinniúin, puimcíní, asparagas, cairéid: níl ach cúpla ceann as liosta fada ansin.
Bíonn pailniú le déanamh ar a lán de na plandaí a úsáidtear chun ainmhithe feirme a bheathú freisin.

Seo agat beacha

Údar: ***Alejandro Algarra***

Léaráidí: ***Daniel Howarth***

Dearadh agus leagan amach: ***Gemser Publications, S.L.***

ISBN: 978-1-85791-801-4

Máire Uí Mhaicín a rinne an leagan Gaeilge

Printset and Design Teo. a réitigh an cló

Arna chlóbhualadh sa tSín

Le fáil ar an bpost uathu seo:

An Siopa Leabhar,
6 Sráid Fhearchair,
Baile Átha Cliath 2.
ansiopaleabhar@eircom.net

nó

An Ceathrú Póilí,
Cultúrlann Mac Adam-Ó Fiaich,
216 Bóthar na bhFál,
Béal Feirste BT12 6AH.
leabhair@an4poili.com

Orduithe ó leabhardhíoltóirí chuig:
Áis,
31 Sráid na bhFíníní,
Baile Átha Cliath 2.
eolas@forasnagaeilge.ie

Téarmaí: www.focal.ie

An Gúm,
24-27 Sráid Fhreidric Thuaidh,
Baile Átha Cliath 1.